200 millions

C'est environ le nombre de TICKETS DE CINÉMA vendus cette année en France.

RONPICH !

500 grammes

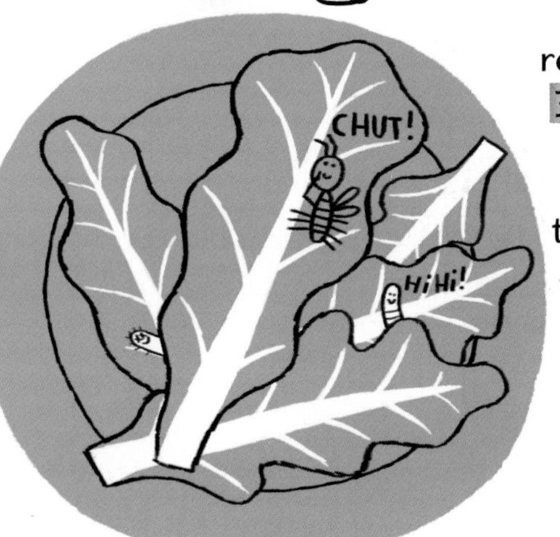

d'insectes se retrouvent dans TON ASSIETTE chaque année, sans que tu t'en aperçoives (moucherons, vers de farine, etc). Miam, de bonnes protéines !

4004 heures

de SOMMEIL par an, pour un enfant entre 8 et 12 ans. Et autant de beaux rêves, j'espère !

PFFIOU !

19 milliards de kilomètres

parcourus par la sonde VOYAGER 1 depuis 1977. Et elle vient juste de sortir de notre système solaire. Bon vent !

194 apparitions

de LULU CAPISCO dans tes *Moi je lis* de cette année !* Tu vérifies ?

* (Sans compter vos dessins.)

et 10 petits pères Noël

C'est ton récit frissons, tout de suite dans Moi je lis !

Ton récit-énigme

→ **Lis** une super-histoire.

→ **Traque** les indices dans le texte et dans les images.

→ **Résous** l'énigme avec le héros !

→ Dico + infos page 43 !

Quand ce symbole (?) apparaît, tu as tous les éléments pour découvrir la vérité !

Mène l'enquête avec **FÉLIX**

pères Noël

Écrit par Maëlle Fierpied, illustré par Yomgui Dumont

CHAPITRE 1

Tempête de neige

– Grrr, c'est vraiment… trop… injuste ! proteste Bilal en rythmant sa phrase de coups de pied répétés dans sa valise.

La mort dans l'âme, nous regardons le capitaine et son matelot nouer les amarres. Le verdict vient de tomber : le lac, trop démonté, bloque la navette à quai, ici sur l'île. Le capitaine partage la mauvaise humeur de Bilal. Ça ne le ravit pas d'annuler sa dernière traversée. Mais il connaît bien le lac et sait quand il est raisonnable de rester à quai. Autour de nous, la neige tombe si dru qu'elle limite notre vision à quelques mètres.

– Allons, ce n'est pas la fin du monde, tente de relativiser la directrice.

– Vous ne pouvez pas défaire la tempête avec votre pouvoir ? insiste Aglaë *.

La directrice secoue la tête d'un air désolé.

– Une telle tempête est très instable. Un peu comme une pelote emmêlée de hautes et de basses pressions. Je pourrais la défaire mais cela me demanderait des heures de concentration sans résultat certain. Nous profiterons d'une accalmie demain matin. N'est-ce pas, capitaine ?

L'homme nous rejoint en hochant la tête sans un mot. Avec son bonnet, sa barbe brune et sa pipe, il a le profil typique du capitaine de bateau. Son homme d'équipage – tout son contraire – affiche une allure juvénile sous son bleu de travail et sa casquette. Malgré le vent et l'odeur de pipe écœurante, je sens une discrète fragrance de parfum sur son uniforme. Le fils du capitaine est là aussi, on le connaît tous un peu. Il s'appelle Amédéo et il accompagne toujours son père pendant les vacances.

* *La directrice peut contrôler la météo.*
Voir « Les enfants de l'île de Pan », Moi je lis n° 291.

Demain, c'est le premier jour des vacances de Noël. C'est également la seule période de l'année où l'île de Pan se vide entièrement de ses occupants, chacun rejoignant sa famille pour les fêtes. Bilal a mis tellement de temps à boucler sa valise que nous avons été obligés d'attendre la dernière navette. Mais voilà, c'était sans compter sur cette tempête hivernale.

La directrice invite tout le monde à rejoindre la cantine. Nos bagages forment un amoncellement à l'entrée de la grande pièce silencieuse. En tout, il ne reste ce soir, sur l'île, que la directrice, Nesys, ex-momie et nouvelle camarade*, Xander, un garçon à la tête bien remplie, Iruka, Aglaë, Bilal, moi, ainsi que l'équipage de la navette, composé d'Amédéo, du capitaine et de son jeune marin.

* *Voir « Le sortilège du scarabée »*, Moi je lis n° 307.

NAVETTE DE L'ÎLE
Bienvenue à bord !
➔ ÎLE
8h-9h / 17h-18h (sauf samedi)
➔ CONTINENT
8h30-9h30 (sauf dimanche)
17h30-18h30
Aglaé (Chauve-souris)
Directrice (Météo)
Iruka (sensitif)
Bilal (Passe-muraille)
Nerys (Guérison)
Félix (Chat)
Xander (surdoué)

Alors que le ciel s'obscurcit à vue d'œil, la directrice prend les choses en main. Nesys et elle se rendent dans les cuisines pour dénicher de quoi manger. Pendant ce temps-là, le capitaine et son marin vont chercher quelques affaires sur le bateau, tandis que Xander, Amédéo, mes amis et moi montons au CDI passer un coup de fil pour prévenir nos familles. C'est le seul téléphone fixe à la disposition des élèves, sur cette île où le portable ne passe pas.

La ligne est mauvaise. Je raccroche, déprimé par la déception de mes parents. C'est le tour d'Aglaë. Je lui passe le combiné avant de rejoindre les garçons qui regardent la neige tomber. Je sais à quoi ils pensent. Pour moi aussi, les vacances de Noël sont fichues. Je n'irai pas acheter un immense sapin avec Papa, je ne goûterai pas aux gâteaux pomme-cannelle de Maman. À la cantine, un buffet appétissant est dressé à notre intention. Nesys et la directrice ont sorti des réserves un énorme paquet de chips, de la compote d'abricots, du jus d'orange et des tonnes de biscuits. Le capitaine est rentré mais son marin, resté pour vérifier les amarres, se fait attendre.

Disparitions en série

Après manger, toujours sans nouvelles du marin, la directrice et le capitaine passent un manteau et partent à sa recherche. Bilal sort un jeu de cartes, avec la bonne idée de proposer une partie de tarot. Seulement, Xander, avec sa mémoire infaillible, gâche vite le plaisir de jouer. Il gagne chaque partie avec une facilité déconcertante. Même Iruka le sensitif n'arrive pas à le battre.

Il fait nuit noire dehors quand la directrice entre en compagnie du capitaine. Ils sont équipés de lampes torches qui n'ont pas suffi à retrouver le marin. Ils ont bien identifié sa trace dans la neige, mais la piste s'arrête d'un seul coup sans raison. Seul indice : dans sa dernière empreinte de pas, la directrice a découvert un gant contenant un papier plié en quatre. Un curieux poème est inscrit dessus.

DIX PETITS PÈRES NOËL ANCRÉS SUR UNE ÎLE.
EN TOUT PREMIER PARTIT NOTRE MARIN,
IL FAUT L'AVOUER, CELUI-LÀ N'ÉTAIT PAS BIEN MALIN.

Nous sommes tous tellement surpris que nous pensons d'abord à une plaisanterie. Comme pour nous rappeler le sérieux de la situation, les ampoules se mettent à clignoter. Elles flanchent deux fois avant de s'éteindre définitivement. Une coupure de courant, c'est bien notre veine.

La lampe torche du capitaine éclaire l'obscurité muette dans laquelle cette mauvaise nouvelle nous a plongés. La directrice s'absente dans les réserves de la cuisine et revient avec une lampe pour chacun. La cantine, traversée de lueurs vagabondes, perd son atmosphère rassurante. Le blizzard qui secoue les vitres et ce drôle de poème n'augurent rien de bon.

Nous décidons de rester groupés pour la nuit. La directrice nous envoie récupérer les matelas et les couvertures de l'infirmerie pendant que les filles dégagent tables et chaises. Alignés à même le sol, nous nous couchons avec l'impression étrange de faire du camping.

Le lendemain, la clarté du jour nous réveille tôt. Dehors, règne un paysage lunaire. Il ne neige plus mais le gel a figé les gouttières, les congères et même le lac.
– Il va falloir casser la glace autour de la coque, rumine le capitaine dans sa barbe.
– Où est Xander ? demande Aglaë en désignant un matelas vide.
– Parti aux toilettes, marmonne Bilal toujours réfugié sous ses couvertures.
– Quand ?
– Chais pas, râle le garçon. Cette nuit.
Saisi d'un pressentiment, je me précipite vers les toilettes. À l'intérieur, aucune trace de Xander. Mais au-dessus des lavabos, une strophe très semblable au poème du gant est écrite sur le miroir. L'encre utilisée, rouge et épaisse, dégage une curieuse odeur fruitée.

NEUF PETITS PÈRES NOËL BLOQUÉS SUR UNE ÎLE.
SI LE DEUXIÈME ÉTAIT LE PLUS BRILLANT,
ÇA NE L'EMPÊCHA PAS DE DISPARAÎTRE SUBITEMENT.

Je reviens dans la cantine aussi vite que j'en suis parti. Mon annonce fige tout le monde.

– On se croirait dans un mauvais film d'horreur, grimace Aglaë.

La fille chauve-souris entasse les matelas au fond de la pièce. Les autres sont dans l'arrière-cuisine, à trier ce qui peut être sauvé des congélateurs et des frigos. Sans électricité, beaucoup de choses vont se périmer à toute allure. Quant au capitaine, il est parti briser la glace autour de la coque de son navire et retrouver son marin.

CHAPITRE 3

1
À cause de la tempête, les enfants sont bloqués sur l'île.

2
Le marin et Xander disparaissent dans d'étranges circonstances.

Adieu, capitaine

Heureusement pour nous, le four à gaz de la cantine marche parfaitement. On y fait cuire toute la viennoiserie sortie des congélateurs en panne. La pièce se réchauffe doucement en nous baignant dans une appétissante odeur de croissants et de pains au chocolat. Pour ce qui est des glaces, une seule solution : les manger.

– Je trouve qu'on devrait avoir plus souvent des coupures de courant, plaisante Bilal en dévorant son cinquième petit pot fraise-chocolat.

Nous occupons notre matinée à entreposer la nourriture restante dans la glace, histoire de prolonger sa conservation. Plus le temps passe et plus Amédéo s'agite. Son père tarde à rentrer.

Cette fois, nous sortons tous pour le retrouver. Mais nous avons beau appeler, fouiller tous les recoins, il reste introuvable. La voix de la directrice nous hèle du côté de l'embarcadère. Nous accourons. La coque du bateau est couverte de lettres de sang.

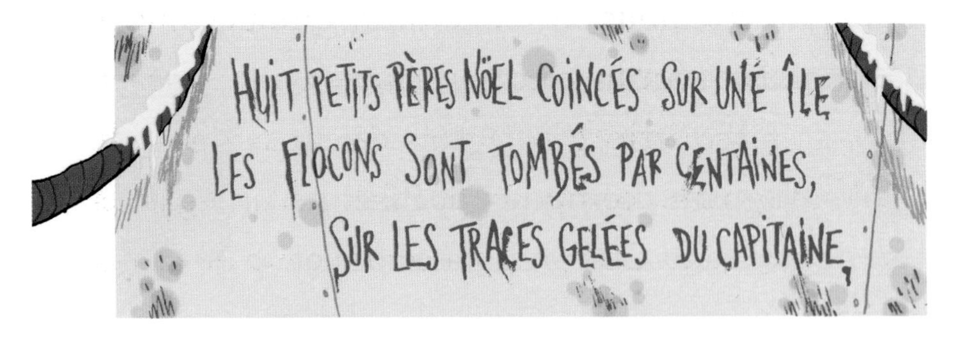

Nous regagnons dare-dare la cantine. Amédéo est bouleversé et je vois au comportement de la directrice qu'elle commence à être agacée. Elle présente le problème d'une voix grave.

– Nous sommes bloqués sur l'île par une vague de froid.

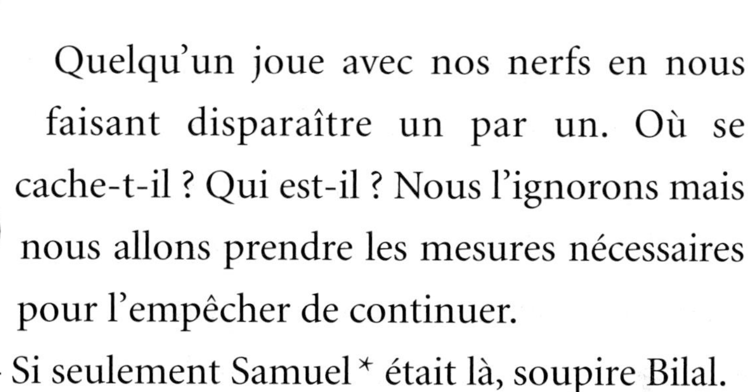

Quelqu'un joue avec nos nerfs en nous faisant disparaître un par un. Où se cache-t-il ? Qui est-il ? Nous l'ignorons mais nous allons prendre les mesures nécessaires pour l'empêcher de continuer.

– Si seulement Samuel* était là, soupire Bilal.

– Mais il n'y est pas. Nous devons nous débrouiller seuls.

Puisque notre inconnu enlève les personnes isolées, nous formons deux groupes qui se déplaceront toujours ensemble. Avec Amédéo et Nesys, la directrice s'occupera du repas du midi. Le second groupe, composé de Bilal, Iruka, Aglaë et moi, est envoyé au CDI pour passer un coup de fil aux gendarmes.

– Pas de tonalité, déclare Iruka en raccrochant le combiné.

* *Samuel a le pouvoir de géolocalisation.*
Voir « *Les enfants de l'île de Pan* », Moi je lis n° 291.

Nous nous regardons, découragés. Nous sommes livrés à nous-mêmes.

– Vous ne trouvez pas que les petits mots ressemblent à une chanson ? fait remarquer Aglaë en quittant le CDI.

– C'est vrai, confirme Iruka. Ça me fait penser aux "Dix bouteilles vertes sur une étagère".

– Et si une bouteille vient à tomber par terre, ça fait "neuf bouteilles vertes sur une étagère", chantonne Bilal. Oui, je connais cette chanson.

– Mais quel rapport avec nous ? je demande.

Tout le monde reste muet. De quel jeu pervers sommes-nous la cible ?

CHAPITRE 4

1
À cause de la tempête, les enfants sont bloqués sur l'île.

2
Le marin et Xander disparaissent dans d'étranges circonstances.

3
Le capitaine se fait aussi kidnapper. L'inquiétude monte.

Réunion de crise

Nous redescendons vers la cantine, qui est devenue, en quelque sorte, notre quartier général. Les lieux sont vides. Au milieu de la salle, trône un étrange tableau blanc à roulettes. Je redoute de lire ce qui y est inscrit.

SEPT PETITS PÈRES NOËL GELÉS SUR UNE ÎLE.
UNE SECONDE D'INATTENTION A SUFFI,
ET LA BELLE BRUNE S'EST ÉVANOUIE.

– Où se trouve la directrice ? je m'écrie. Pourquoi son groupe n'est pas là ?
Nous obtenons la réponse quand la directrice revient peu après, accompagnée du seul Amédéo.

Le garçon a voulu sortir en douce pour chercher son père, se justifie-t-elle. Elle lui a couru après, en exigeant de Nesys qu'elle s'enferme dans la cantine. La disparition de Nesys la touche, nous le voyons tous. En quelques mois, depuis la visite au musée où nous l'avons rencontrée*, la petite Égyptienne et elle sont devenues comme mère et fille.

– Réunion de crise, annonce la directrice en disposant six chaises en rond et en nous invitant à nous asseoir. De quels indices disposons-nous ?

* *Voir « Le sortilège du scarabée »*, Moi je lis n° 307.

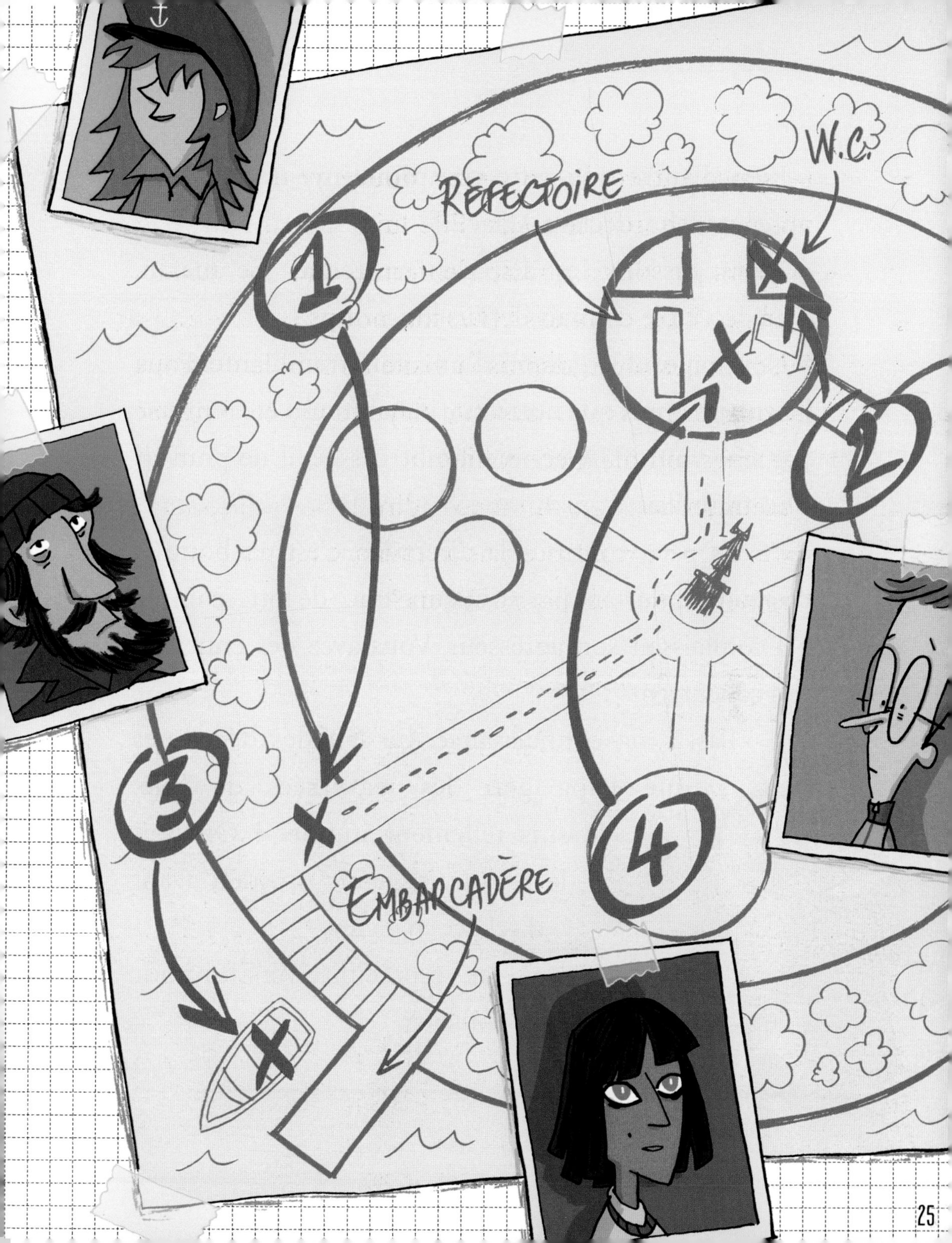
W.C.
RÉFECTOIRE
1
2
3
4
EMBARCADÈRE

– Rien d'autre que cette comptine inventée strophe après strophe, déclare Aglaë.
– Alors passons les disparus en revue. Ce marin, Amédéo, tu le connais depuis longtemps ?
– Non, répond le garçon d'une voix tremblante. Papa l'a engagé après que notre marin habituel a été renversé par une voiture. Avec une jambe cassée, il ne pouvait plus travailler.
– Et ton père, continue la directrice, c'est un homme costaud et pourtant il n'y a aucune trace de lutte, comme s'il connaissait son agresseur. Vous avez des ennemis, des concurrents ?
– Pas à ma connaissance. Ça fait des décennies que Papa gère les traversées de l'île. Je suis tellement inquiet ! On doit le retrouver, gémit Amédéo avant d'éclater en pleurs.
Aglaë se précipite vers lui pour le consoler.

L'après-midi passe sans que rien ne bouge. L'attente est encore plus insupportable que l'action. Je n'arrête pas de me demander qui sera le prochain. Je n'ai qu'une hâte, que cet inconnu vienne m'enlever pour que je puisse en découdre avec lui. Seul point positif, le redoux est arrivé. La neige et la glace fondent à vitesse grand V. Toujours aucune évolution à la nuit tombée. C'est à en devenir fou. Nous organisons les tours de garde pour la nuit. Aglaë et moi relayons Iruka et Bilal à une heure du matin. Garder les yeux ouverts est terriblement difficile. Nous avons beau jouer aux cartes, à la lueur de nos lampes frontales, le spectre du sommeil pèse lourd sur mes épaules.

J'ai l'impression d'avoir du sable plein les yeux. Juste une seconde, fermer les paupières…
Une main me secoue sans ménagement. Je me réveille en sursaut.
– Félix, crie la voix de la directrice. Où est Aglaë ?!
« Là, bien sûr, à côté de moi », je m'apprête à répondre.
Mais, à côté de moi, il n'y a personne. Juste une place vide. Un horrible sentiment de culpabilité m'envahit.
Sur le tableau blanc, une strophe est ajoutée. Je la lis le cœur serré.

CHAPITRE 5

1
À cause de la tempête, les enfants sont bloqués sur l'île.

2
Le marin et Xander disparaissent dans d'étranges circonstances.

3
Le capitaine se fait aussi kidnapper. L'inquiétude monte.

4
Les enfants mènent l'enquête, mais Nesys et Aglaë se font enlever.

Les choses s'accélèrent

Le petit matin nous trouve hébétés et choqués par les disparitions en série. Aucun de nous n'est parvenu à dormir. Je me sens tellement coupable que j'en pleurerais. Je me dis que c'est justement le sentiment que le kidnappeur veut semer dans nos cœurs. Je dois donc rester fort pour Aglaë, pour Nesys, pour tous les disparus.

Iruka sent mon désarroi et me rassure en expliquant qu'il perçoit leur présence sur l'île. Il est incapable de les localiser, mais il sait qu'ils vont bien.

Pour nous changer les idées, Iruka et moi allons chercher des bandes dessinées au CDI. Les bras chargés d'une bonne pile, je flâne entre les rayonnages en attendant Iruka qui choisit des mangas. Alors que mes yeux s'attardent sur un vieux recueil de comptines, je repense aux bouteilles vertes. Une intuition enflamme mon cerveau. Je pose hâtivement mon chargement et tire le livre élimé. À la page des bouteilles vertes, une photo tombe par terre. On y voit deux élèves posant devant un tableau blanc. Cette fille rousse…

– Iruka ! j'appelle, enthousiasmé par ma découverte.

Dix bouteilles vertes

Dix bouteilles vertes
Posées sur un mur
Dix bouteilles vertes
Posées sur un mur
Et si une bouteille verte
Vient à tomber
Il reste neuf bouteilles vertes
Posées sur le m
...

Neuf bouteilles vertes
...
Huit bouteilles vertes

...

Une bouteille verte
Posée sur un mur
Si cette bouteille verte
Vient à tomber

Dix

E

Aurora & Bonnie

Pas de réponse. J'abandonne mon tas de BD et me précipite dans le rayon voisin. Une sélection de mangas traîne au sol mais Iruka n'est nulle part. Une bouffée de peur me saisit. Je n'ai rien vu, rien entendu, rien senti. Comment est-ce possible ?
Une feuille de papier crisse sous ma semelle, attirant mon regard.

Serrant la photo contre moi, je dévale les escaliers et me précipite vers la cantine sans m'arrêter de courir. Je pousse les portes d'un élan en criant, affolé.

– Il a eu Iruka !

Bilal et la directrice, debout devant le tableau, se tournent en même temps vers moi. Il y a une nouvelle strophe inscrite au feutre :

– C'est impossible, se défend Bilal. Je ne l'ai quitté des yeux que quelques secondes.

La directrice ne dit rien. Assise sur le bord d'une table, elle paraît plongée dans une intense réflexion. Je lui tends la photo et exige d'un ton brusque qu'elle m'explique ce qu'on y voit. Elle soupire.

– C'est bien moi, et voici Bonnie, ma meilleure amie.

– Et ce tableau ? j'ajoute. Dois-je en déduire que tout ça a un rapport avec votre passé ?

– En effet. Cette mascarade est un message à mon intention. Elle se tait à nouveau, le regard vague. Puis elle nous fait signe d'approcher avec un air de conspiratrice.

– Écoutez, les garçons, murmure-t-elle. J'ai un plan qui pourrait nous sortir de ce traquenard.

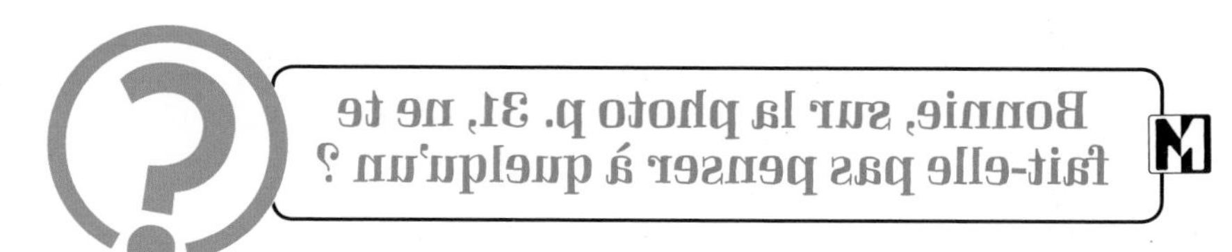

CHAPITRE 6

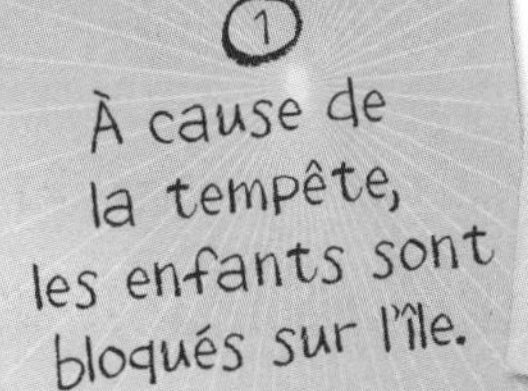

1. À cause de la tempête, les enfants sont bloqués sur l'île.
2. Le marin et Xander disparaissent dans d'étranges circonstances.
3. Le capitaine se fait aussi kidnapper. L'inquiétude monte.
4. Les enfants mènent l'enquête, mais Nesys et Aglaë se font enlever.
5. Félix fait une surprenante découverte. La directrice élabore un plan.

Le plan de la directrice

Comme la directrice l'avait prévu, Bilal a disparu. Il s'est éclipsé pour aller aux toilettes et n'est jamais revenu. Sur le miroir, je trouve une nouvelle inscription dans la même encre fruitée, comme pour Xander. Je comprends maintenant que c'est du rouge à lèvres.

Une heure plus tard, assis dans une chambre du dortoir des filles, la directrice et moi attendons. Nous ne sommes pas dans n'importe quelle chambre.

C'est celle que Bonnie et la directrice partageaient autrefois quand elles étaient élèves ici. Pour preuve, cette dernière me montre leurs deux noms gravés dans le bois du bureau. D'un air nostalgique, la directrice me livre des bribes de son passé.

– Bonnie était ma meilleure amie. Nous nous sommes rencontrées sur cette île. Elle possédait le don extraordinaire de téléportation, limité à un rayon d'un kilomètre. Nous aimions nous affronter en composant des poésies et chansons spontanées sur un tableau similaire à celui de la cantine.

LES MESSAGES LAISSÉS PAR LE RAVISSEUR FONT PENSER À DES CHANSONS P. 22

IRUKA A DISPARU TOUT À COUP, SANS UN BRUIT ET SANS LAISSER DE TRACES P. 32

Devenue adulte, Bonnie a basculé du côté obscur et s'est mise à piller les bijouteries. Aucune trace, aucune victime, le crime parfait. Quand elle s'est lancée dans la demande de rançon, j'ai compris qu'elle ne voyait pas le mal qu'elle faisait. Elle était allée trop loin. J'ai essayé plusieurs fois de la raisonner, mais j'ignorais que la police m'avait mise sur écoute. En remontant mes appels, ils sont tombés sur Bonnie. Ma meilleure amie a été condamnée à dix ans de prison dans une cellule spéciale qui parasitait son pouvoir. Elle a été libérée il y a quelques mois. Même après toutes ces années, elle m'en veut encore.

BONNIE A LA MÊME COUPE ET COULEUR DE CHEVEUX QUE LE MATELOT P. 9, 25 ET 31

Le parquet du couloir craque sous le poids de quelqu'un. C'est Bilal, mon odorat de chat le reconnaît. Il traverse la porte et entre dans la chambre, fier de lui. Tout s'est passé comme prévu à un détail près. Ce n'est pas Bonnie mais le matelot qui a kidnappé Bilal.

– Il est apparu d'un seul coup, juste à côté de moi. Il m'a pris le bras et pouf ! En un battement de cils, on a changé d'endroit. Une soute de bateau. Avant que j'aie le temps de dire quoi que ce soit, il disparaissait encore. La téléportation, ça, c'est un pouvoir cool !

LE CAPITAINE CONNAISSAIT SON AGRESSEUR P. 26

Dans la soute, Bilal a retrouvé tous les disparus sains et saufs. Il a ensuite tout naturellement traversé le mur pour déverrouiller la porte et libérer les otages. Mais la directrice avait laissé des consignes : interdiction de débarquer. Au contraire, le capitaine devait mettre les gaz et s'éloigner de l'île le plus vite possible, non sans avoir laissé Bilal à quai. Le passe-muraille est alors venu nous retrouver.

– Maintenant, laissons venir notre coupable, déclare la directrice en croisant les bras et en s'appuyant sur le bord du bureau.

– Vous croyez qu'elle va comprendre où nous trouver ?

– N'oublie pas que c'était ma meilleure amie. Je sais comment elle pense.

VOIR PARFUM P. 9

Nous n'avons pas à attendre longtemps. Le marin apparaît soudain devant nous. Il ôte son couvre-chef d'un geste ample, laissant une cascade de cheveux châtains se déplier dans son dos. Je comprends pourquoi il sentait tant le parfum.

– Tu t'es piégée toi-même en mettant le pied sur cette île, ironise la directrice. À un kilomètre à la ronde, il n'y a que de l'eau.

– Moque-toi, sourit cruellement la femme en face de nous. J'étais venue sur l'île avec des idées de revanche et je te trouve ici, bloquée par les intempéries. Toi qui déclenchais des chutes de neige pour rater l'école les jours d'interro ! J'ai tout de suite compris que cette situation m'offrait ma vengeance sur un plateau. Tu vois ce que ça fait d'être privée de ses pouvoirs au moment où l'on en a le plus besoin. C'est ce que j'ai vécu ces dernières années. Par ta faute, Aurora.

– Jamais je ne t'aurais dénoncée intentionnellement. Tu étais ma meilleure amie !

Finalement, les choses semblent se résoudre naturellement. Je me demande si la directrice va porter plainte. Ça serait peut-être un joli cadeau, de laisser Bonnie libre ?

– Quel beau Noël ! s'extasie Bilal. Aurora ! Je connais enfin le prénom de la directrice ! Et cerise sur le gâteau : j'ai la preuve qu'elle était aussi cancre que moi !

FIN

LES MOTS À LA LOUPE

Voilà trois mots que tu n'emploies peut-être pas tous les jours. Te souviens-tu à quel moment tu les as rencontrés dans le récit ?

Accalmie

Redoux

Intempérie

Solution :

p. 8 « Nous profiterons d'une accalmie demain matin. »

p. 27 « Seul point positif, le redoux est arrivé. »

p. 41 « … et je te trouve ici, bloquée par des intempéries. »

Les voici à nouveau, utilisés ensemble :

Bulletin météo : pas de chance,
les intempéries continuent en début de semaine.
Mais une accalmie est prévue pour mercredi,
et le redoux se poursuivra jusqu'au week-end !
Pour la suite de nos programmes,
retrouvez l'Atelier d'écriture…

À toi d'écrire les sous-titres !
Lance-toi et propose une définition pour chaque mot.

A. Intempérie : ....

B. Accalmie : ....

C. Redoux : ....

Voici trois définitions : se rapprochent-elles des tiennes ? Relie chacune au bon mot !

1. Retour du beau temps.

2. Moment calme dans un climat orageux.

3. Mauvais temps.

Solutions : A-3. B-2. C-1.

Écris une scène de SUSPENSE

Suis ces conseils de pro pour refermer le piège sur la victime… et sur le lecteur !

1/ La scène

Relis les pages 18 à 20 : celles où le capitaine disparaît. C'est inquiétant, parce qu'on n'assiste pas à l'enlèvement, alors on peut tout imaginer. Mais si tu devais raconter la scène, comment t'y prendre pour susciter l'inquiétude chez ton lecteur ?

2/ La technique

Imagine : des personnages discutent tandis qu'une bombe fait tic-tac sous la table. Tu sais qu'il y a une bombe, mais les personnages ne se doutent de rien ! C'est la technique du cinéaste Alfred Hitchcock pour créer du suspense. Une technique que tu peux reproduire avec ton stylo ou ton clavier : donne au lecteur des informations que ton personnage n'a pas !

3/ Le narrateur omniscient

Le narrateur, c'est celui qui raconte. Omniscient, ça signifie qu'il sait tout : ce qui se passe dans la tête de Bonnie, la ravisseuse, ou dans celle du capitaine. Il sait tout, mais ne dit pas tout : seulement de quoi tenir en haleine son lecteur.

Les yeux fermés, laisse venir les images comme dans un film.
Puis écris en suivant le déroulement suivant :

(Rouvre les yeux avant d'écrire, quand même.)

Plante le décor

Une phrase pour décrire l'ambiance générale.

bourrasque
un froid de loup
pique les yeux
à gros flocons
crisse sur la neige
étendue blanche
rafale de vent

La victime

Le capitaine va briser la glace autour de son bateau. Aide-toi de son portrait p. 9 et décris son allure. Grâce à ces détails, le lecteur se met à sa place.

sa barbe brune
fumant sa pipe
ses cheveux
relève son col
sa main
les doigts crispés
son bonnet
lutte contre le vent
avance courbé

La menace

Bonnie, la kidnappeuse, l'observe. Comment réagit-elle quand elle voit le capitaine ? Le lecteur sent le danger s'approcher : il est captivé.

Pendant ce temps
dans l'ombre
Non loin de là
elle le voit
sur le bateau
sa proie approcher
sa première victime
Vite, une cachette !
elle se prépare

Action !

Bonnie apparaît devant le capitaine, puis se téléporte avec lui. Tout va très vite. Utilise des phrases courtes.

Voilà que
devant lui
en un éclair
tout à coup
se matérialise
sans prévenir
C'est alors
Soudain
brusquement

Conclusion

Une phrase pour décrire le calme après la tempête, une bonne façon de finir une scène de suspense.

le silence retombe
Elle revient écrire
Peu de temps après
traces gelées
message couleur sang
la neige recouvre
le rideau de neige
tout redevient calme

j'enquête et je comprends

ÉCRIS TA SCÈNE DE SUSPENSE SUR UNE FEUILLE À PART ET ENVOIE-LA-MOI :
LULU CAPISCO, SUSPENSE !, MOI JE LIS, 300 RUE LÉON-JOULIN, 31101 TOULOUSE CEDEX 9 OU PAR MAIL : LULU.CAPISCO@MILAN.FR

Texte : Annabelle Fati. Illustrations : Mister Egg.

La folle balade de Fennymore Coupure

À LIRE

C'est écrit comme ça :

« Tante Babette vivait au centre du village, juste au-dessus du café-glacier Tristessa. Elle rendait visite à Fennymore tous les dimanches, à trois heures trois exactement. Tous les dimanches, ils mangeaient un teckel en croûte de sel et buvaient de la grenadine. »

- *Auteur : Kristen Reinhardt*
- *Illustrateur : David Roberts*
- *Éditions : Albin Michel Jeunesse*
- *224 pages, 10 €*

C'est bien parce que :

★ L'univers dans lequel vit Fennymore Coupure est totalement loufoque : vous connaissez beaucoup de taties qui cuisinent du teckel en croûte de sel ? De vélos qui se prennent pour des chevaux ? De villages où 24 magasins vendent des chapeaux de pluie ?

★ C'est une histoire étrange que celle de ce petit garçon de 11 ans, dont les parents, savants farfelus, ont mystérieusement disparu. La vie de Fennymore va alors être bouleversée par un inquiétant monsieur gris-argent, un drôle de docteur Alabonneur, un secret caché…

★ … et bien des dangers ! Mais grâce à des chaussettes qui puent, à son vélo Monbijou et sa nouvelle amie Fizzy, Fennymore va affronter ses peurs et, bien sûr, découvrir la clé de l'énigme…

Si tu le lis, envoie-mo[i] ton avis !

Texte : Valérie Lassus et Denis Beauchamp.

À LIRE

Scarlett et Watson,
Le Mystère du chat empaillé

Scarlett est bien connue des lecteurs de *Moi je lis*. C'est que, avec Watson, son chat bavard, elle en a résolu, des mystères ! Dans cet épisode, quelqu'un vole le livre de la grand-mère de Scarlett. Observation, déduction, logique, et le tour est joué ! Pssst, un dernier tuyau : Scarlett revient enquêter dans *Moi je lis*, en janvier !

De Jean-Michel Payet, illustrations de Mélanie Allag, éd. Milan, 40 pages, 5,50 €.

À JOUER

Rayman Legends

Rayman, le célèbre héros de jeux de plates-formes, revient dans une nouvelle aventure plus délirante que jamais ! Seul ou avec tes copains, pars à la découverte de 120 niveaux colorés et complètement déjantés. Entre ascension du mont Olympe et course-poursuite rock and roll en plein Moyen Âge, tu ne risques pas de t'ennuyer avec ce jeu vidéo survolté.

D'Ubisoft, sur Wii U, Playstation 3, Xbox 360, PC et PS Vita, env. 45 €.

Nino & Rébecca,
Tome 6 – Faut que ça sorte !

Scoop : retrouve tes aventures préférées de Nino et Rebecca, frère et sœur pour le pire et pour le rire, dans un nouvel album décapant !

À LIRE

De Dab's, éd. Glénat, 48 pages, 9,99 €.

Les Mystérieuses Cités d'or – Saison 2

À VOIR

Sept cités d'or aux quatre coins du monde, trois enfants et un perroquet pour les trouver. La première saison date du temps où tes parents étaient des ados ! Dans ces 28 nouveaux épisodes, les péripéties se succèdent à toute vitesse. Prêt pour une grande aventure ?

Réalisé par Jean-Luc François, Kazé et TFI vidéo, le coffret de 4 DVD (14 épisodes) 29,95 €, ou les deux coffrets de 2 DVD (7 épisodes) à 14,95 € avec cartes et autocollants.

RÉSULTATS DU CONCOURS
« Histoire de fantôme » du numéro de septembre.
Bravo aux « fantomologues » !
Evan
Noémie
Julie
Léa
Lorine
Zoé F.
Mélanie
Ilona
LES Histoires pressées DE Bernard Friot ONT 25 ANS !
ATELIER STAR
Gamnam style.
Lulu PSY
Charlotte
LULU, C'EST MON MEILLEUR AMI
ET LE CHIEN AUSSI !
Noah
Méline
WATSON. SHERLOK
Mélanie
Paul
Il n'y a pas que le père Noël qui reçoit des lettres !
ÉLECTRIQUE LULU
Méga flamme
Écris-moi !
MILAN PRESSE - MOI JE LIS - LULU CAPISCO
300, rue Léon-Joulin
31101 Toulouse Cedex 9
ou par e-mail à :
lulu.capisco@milan.fr
LuLu vous répond Qu'est-ce que tu as eu pour Noël ?
Denis
Mes coups de cœur préférés...
Mes copains et copines pour les partager...
Et une avalanche de courrier !
Je suis gâté...
Joyeux Noël à vous aussi !
Illustration : Mister Egg.

Quel jouet es-tu ?

Noël, c'est vraiment magique ! Et si tu en profitais pour te transformer en jouet, lequel serais-tu ? Un simplotron à manivelle ou le dernier Nintendor ? Coche, et tu sauras.

Leçon de physique : le système solaire.

- □ Ça y est, ton imagination décolle pour Mars en turbo vitesse.
- ⊙ C'est intéressant pour quand tu seras cosmonaute.

C'est ton tour de mettre le couvert, tu protestes :

- □ À bas les règles !
- ⊙ Tu as bien compté, et c'est au tour de ton frère.

Tes copains te proposent une partie de handball :

- □ D'accord, mais si on remplaçait le ballon par un coussin ?
- ⊙ OK, tu organises un vrai tournoi, comme un pro.

Cet après-midi, tu jardines avec Maman et ta sœur :

- △ Tu te concentres, tracer un rang droit, c'est pas si facile !
- ✕ Tu adores, et le temps passe trop vite !

Invité chez Papi-Mamie, tu as oublié tes jouets :

- △ Une branche, trois cailloux et tu construis un château fort.
- ✕ Avec tes cousins-cousines, tu joues à Versailles en mettant de vieux habits.

Sur ta console de jeux :

- △ Tu chasses des PikaMonstres pendant des heures.
- ✕ Tu te bats avec tes copains sur Mega Fighter 4.

TU AS PLUS DE △

M | Un remue-méninges

Tu es un jouet qui demande à la fois de l'imagination et de la concentration pour parvenir au but. Genre casse-tête, jeu à énigmes ou construction de coffre-fort diabolique en briques. Bien sérieux, tout ça. N'oublie pas de décompresser !

TU AS PLUS DE ✕

M | Un « plus on est de fous »

Pour jouer, il faut être plusieurs. C'est ta règle de base. Et la seule d'ailleurs. Pas besoin de nombreux accessoires : tu es par exemple un jeu de cartes d'ambiance et trois dés qui servent de support à l'imagination, aux folles discussions et aux fous rires !

TU AS PLUS DE □

M | L'imagination au pouvoir

TU AS PLUS DE ⊙

M | Le monde en miniature

TU AS PLUS DE △

M | Une panoplie de grand

Il ne te manque rien : une poupée et tous ses accessoires, un kit de vétérinaire, une voiture pour conduire presque pour de vrai... Jouer avec toi, c'est être sage. Mais pense à faire quelques bêtises avant de devenir vraiment un adulte !

TU AS PLUS DE ✕

M | Un monde sur mesure

Jeu vidéo en ligne, jeu de société, sport collectif... Ce que tu préfères, c'est l'interaction avec les autres, tout en respectant les mêmes règles. Que le meilleur gagne !

Texte : Valérie Lassus. Illustrations : Vincent Bergier.

Les carnets de

SHERLOCK YACK

ZOO-DÉTECTIVE

Le mystère de la chambre close

L'AFFAIRE

Catastrophe !
La table des desserts de Noël était magnifique, et voilà que la pyramide de truffes au chocolat s'est volatilisée !
Les invités, dans le salon à côté, n'ont vu sortir personne.

LES SUSPECTS

Aucun invité n'aurait eu intérêt à voler toutes les truffes, car il en aurait mangé de toute façon. C'est donc certainement quelqu'un qui n'a pas été invité, soit : Abigaëlle Tourterelle, Karl Kangourou ou Bob Bousier.

Texte : Valérie Lassus. Illustrations : Akita. Sherlock Yack © Mondo TV France, adapté des livres de Michel Amelin et Colonel Moutarde, éditions Milan. Photo : Istockphoto/FourOaks.

L'ENQUÊTE

Pas de fenêtre dans la pièce des desserts, cela exclut Abigaëlle ! Karl est bien glouton mais, justement, il est trop gros pour passer inaperçu. Reste Bob Bousier, mais il est plus petit qu'une truffe !

Après quelques recherches...

Le bousier se nourrit d'excréments et fabrique de petites boules de bouse qu'il fait rouler jusqu'à son terrier. Il est capable de soulever 1 141 fois son poids.

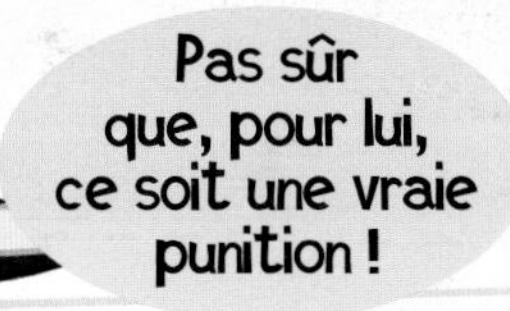

Tout s'éclaire ! Bob Bousier est la honte de sa famille : il est accro au chocolat. C'est plus fort que lui. Il a dû faire rouler chaque truffe hors du plat, puis les a poussées hors de la pièce par un trou de souris.

LA SENTENCE

Pour réparer son forfait, Bob Bousier est condamné à aider le cuisinier à rouler 1 141 mini-truffes dans le chocolat en poudre.

Noël pirate

1 Les 7 différences

2 Rends chaque chaussette au bon membre d'équipage.

D-BLOC Aide-toi d'un miroir.

3 Sudokus

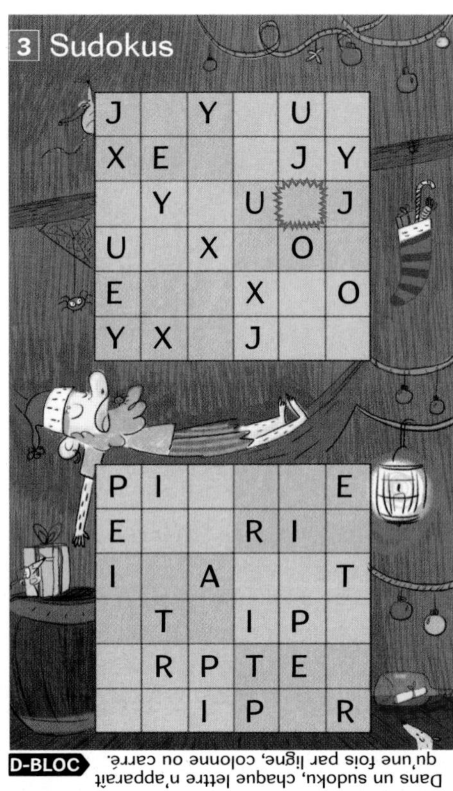

J		Y		U	
X	E			J	Y
	Y		U	✸	J
U		X		O	
E			X		O
Y	X		J		

P	I				E
E			R	I	
I		A			T
	T		I	P	
	R	P	T	E	
		I	P		R

D-BLOC Dans un sudoku, chaque lettre n'apparaît qu'une fois par ligne, colonne ou carré.

4 Remets le dialogue dans l'ordre.

de remporter le défi final p. 59 !

5 Aide Rory-le-borgne à placer l'étoile en haut du bon mât : ce n'est pas le plus grand, ni le plus petit, il est à côté d'un mât penché et ses voiles ne sont pas dépliées.

6 Le mousse a emmêlé les cordes ! Ou peut-être y a-t-il glissé un message ?

D-BLOC Aide-toi d'un miroir et de l'esprit de Noël.

7 Décode le nom pirate du père Noël.

8 Jambe-de-bois teste le mousse : aide-le à deviner la combinaison gagnante.

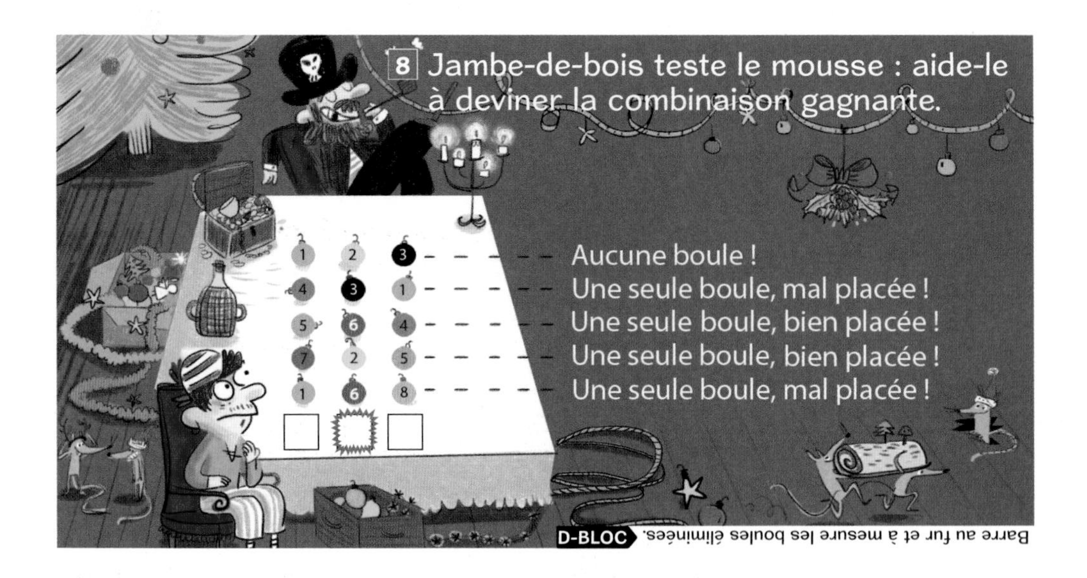

D-BLOC Barre au fur et à mesure les boules éliminées.

9 Trouve le bon reflet.

Réponse

10 Combien y a-t-il de coffres au pied du mât-sapin ?

Réponse

Défi final

Reporte ici les réponses marquées d'un ☐ dans les jeux des pages précédentes.

3☐ 4☐ 5☐ 8☐ 9☐

Noircis les cases correspondant à tes réponses pour découvrir le cadeau qu'a finalement reçu le capitaine.

Conception des jeux : Annabelle Fati. Illustrations : Jess Pauwels.

Pour les solutions, va voir page 75.

Nino & Rébecca

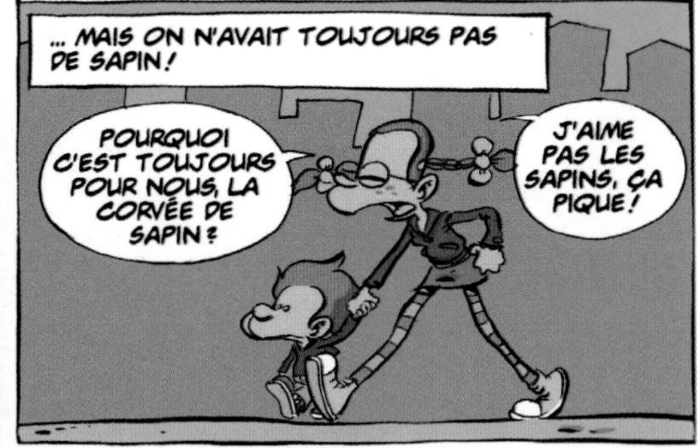

Les sapins… ça pique !

Texte et illustrations : Dab's. Couleurs : Borev.

Eddy Milveux et sa blatte magique

Grâce à sa blatte magique, Eddy a droit à un vœu par jour

Révélations par lisa mandel

Planche extraite du tome 2 d'Eddy Milveux : *Eddy dans tous ses états*. Éditions Milan.

Les enquêtes de SHERLOCK LATRUFFE et ALBIDE

L'affaire de l'Alpharchipel

Matyo

C'est une lettre de Clotilde et Dom. **OH!** Ils disent qu'ils ont découvert un trésor !!

Nom d'une guimote en bois d'arbre !

Il y a même une carte au trésor dans l'enveloppe.

Aha ! On va la déchiffrer en deux coups de gruyère en pot* !

Carte de l'Alpharchipel
U
W
L
É
M
D
i
A
J
B
H
P
T
O
K
N
N
O
E
S
île du départ
Nord, Ouest, Nord, Nord-Est, Sud-Est, Est, Sud, Sud-Est.
L'Alpharchipel ! Jamais entendu parler de cet endroit !
Clotilde et Dom écrivent aussi : "À vous de deviner où se trouve le trésor, et surtout : qu'est-ce que c'est ?"

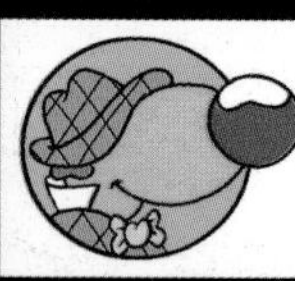

SHERLOCK LATRUFFE te dévoile la SOLUTION !

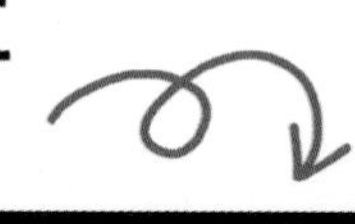

En partant de l'île du Départ et en suivant les directions indiquées en bas, on visite une série d'îles qui forment un mot : P, H, I...

CONCLUSION : le trésor s'appelle Philémon. Clotilde et Dom viennent d'avoir un petit garçon !

Texte et illustrations : Matyo.

Et vous dans Animal Crossing : New Leaf, vous êtes plutôt...

...à la cool ?

...premier de la classe ?

...mario style ?

...le roi ?

...la tête dans les étoiles ?

...fan de citrouilles ?

...du genre princesse ?

...bagarreur ?

...en mode pirate ?

Jouez à tous vos jeux Nintendo 3DS en 2D sur Nintendo 2DS

Créez VOTRE monde

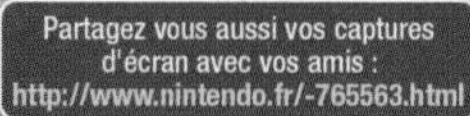

3 www.pegi.info

SAISON 2

Les profondeurs d'OMNIHILO

SCÉNARIO : THOMAS CADÈNE. DESSIN : CHRISTOPHE GAULTIER

OMNIHILO EN BREF :

Omnihilo, c'est le territoire qui contient l'imagination du monde.

Tout le monde y puise, sans le savoir, les ingrédients de son imagination.

Aujourd'hui, Omnihilo est en danger, rongé par un mal étrange.

RÉSUMÉ DES ÉPISODES PRÉCÉDENTS

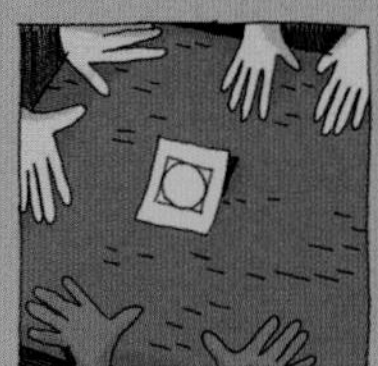

Les garçons ont trouvé la signification du signe aperçu par Raj dans Omnihilo…

C'est le symbole des Black Bats. Ce groupe de rock est donc lié au Malgris.

À cause des Black Bats, Julie est devenue victime du Malgris !

Après avoir discuté du problème avec Victoire, les garçons décident de retourner dans Omnihilo.

Mais madame Mazelet leur a interdit d'aller combattre le Malgris…

Pas le choix : Hugo dérobe alors la clé du pigeonnier pour aller dans Omnihilo.

NON!
NOON!
NOOON!
NON!
142.

BWAAAAH!!

Julie?

P

JULIE!!
Quoi?

TOUT VA BIEN?
Super, Sylvie... Super, je peux écouter ma musique maintenant?

Bon, moi, j'y vais, je dois retrouver Karim et Achille!

143

Alors?
Je l'ai!
Bravo!
Clic.
Bon, allons sauver Julie!

Nous y voilà, l'univers de Julie.

Allons voir! Ne touchez à rien.

Qu'est-ce que ça veut dire?

145.

Ça veut dire qu'elle se bat.
Ne restons pas là, elle se défend très bien et nous sommes inutiles. Faisons ce que nous avons prévu.
Allons à la source du mal.
On continue!
On s'est fait semer! Il n'y a plus de Malopris! On ne le trouvera jamais!
?
MONTRE-TOI, HECTOR PORTUNUS! MONTRE-TOI!!

!
!

Hector Portunus?

Mais comment est-ce qu'on va entrer là-dedans? Avec mon mouchoir, on risquerait d'atterrir dans un piège.

Moi, j'ai une idée! On y va quand vous voulez!

Hugo?
?!
147.

À SUIVRE...